S

Le monde de ★ ★
Biscuit et Cassonade

Catalogage avant publication de
Bibliothèque et Archives nationales du Québec
et Bibliothèque et Archives Canada

Munger, Caroline, 1980–

    Biscuit et Cassonade aiment la ferme
    Pour les jeunes.
    ISBN 978-2-89714-255-1
    I. Titre.

PS8626.U55B576 2017    jC843'.6    C2016-942581-9
PS9626.U55B576 2017

GROUPE VILLE-MARIE LITTÉRATURE

Vice-président à l'édition
Martin Balthazar

Direction littéraire et artistique
Lucie Papineau

Conception graphique
de la grille et de la couverture
Primeau Barey

Infographie
Axel Pérez de León

Révision linguistique
Michel Therrien

Les Éditions de la Bagnole
Groupe Ville-Marie Littérature inc.
Une société de Québecor Média
1055, boulevard René-Lévesque Est,
bureau 300
Montréal (Québec) H2L 4S5
Tél.: 514 523-7993, poste 4201
Téléc.: 514 282-7530
Courriel: info@leseditionsdelabagnole.com
leseditionsdelabagnole.com

Les Éditions de la Bagnole bénéficient du soutien
de la Société de développement des entreprises
culturelles du Québec (SODEC) pour leur programme
d'édition.

Gouvernement du Québec – Programme de crédit
d'impôt pour l'édition de livres – Gestion SODEC.

Nous remercions le Conseil des arts du Canada de
l'aide accordée à notre programme de publication.

DISTRIBUTION EN AMÉRIQUE DU NORD
Canada et États-Unis:
Messageries ADP inc.*
2315, rue de la Province
Longueuil (Québec) J4G 1G4
Pour les commandes: 450 640-1237
messageries-adp.com
* Filiale du Groupe Sogides inc.;
filiale de Québecor Média inc.

Merci à la ferme Noël Lamontagne, à la
ferme Potagère et à la ferme Magolait,
situées à Magog, pour l'accès privilégié
lors de la prise des photos.

*Biscuit et Cassonade* est une marque
de commerce de Caroline Munger.

Imprimé au Canada

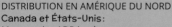

# Biscuit et Cassonade

# aiment la ferme

## Caroline Munger

Ce matin, Biscuit et Cassonade sont trop contents! Ils ont reçu une invitation bien spéciale... Leur amie Rosette leur a proposé de venir travailler quelques jours à la ferme avec elle. Youpi!

Les deux frères ont tout prévu pour
se transformer en apprentis fermiers.

# Le grand jour est enfin arrivé !

– En route vers de nouvelles aventures ! s'exclame Cassonade en apercevant la jolie grange rouge.

– Comme c'est beau ici ! ajoute Biscuit… tout en se demandant quelle est l'étrange odeur qui lui chatouille les narines.

– Allo, Biscuit! Bonjour, Casso! dit Rosette.
Comme je suis heureuse que vous soyez là!

Sans perdre un instant, la petite lapine explique à ses amis
le programme de la journée. Les deux fermiers en herbe sont tout
excités de pouvoir aider leur amie à accomplir les nombreuses tâches
de la ferme... Et ils ont surtout très, très hâte de voir les animaux!

# Au travail !

Une fois leurs bottes enfilées, Biscuit et Cassonade remplissent la remorque de ballots de foin et de sacs de grain qui serviront à nourrir les animaux.

Biscuit, tout fier, se met au volant du tracteur.

– Allez ! Plus vite ! s'écrie Cassonade.
Les vaches doivent avoir très faim !

– Déposons le foin ici,
décide Biscuit, même s'il est
un peu nerveux en voyant
les énormes vaches, curieuses,
qui s'approchent de lui.

– Mmmeuuh! Mmmeuuh!
s'exclame Cassonade en
rigolant. Je parle le langage
des vaches, moi, n'aie pas peur!
Elles vont me comprendre et
faire tout ce que je leur dis...

# Pauvre Biscuit !

Biscuit est très fier d'avoir nourri les vaches et d'avoir réussi sa première mission. Sauf que...

– Beurk !!!

Il a mis la patte sur une bouse de vache bien fraîche ! L'odeur fait plus que lui chatouiller les narines, cette fois...

Au tour des cochons, maintenant! Eux aussi sont très curieux et s'approchent pour renifler le bon grain que Biscuit et Cassonade déposent devant eux.

– Rrrhoo! Rrrhoo! s'exclame Casso le coquin, en imitant les drôles de sons produits par les cochons au museau rose... et plein de terre.

L'après-midi tire à sa fin lorsque Biscuit et Cassonade reçoivent l'appel de Rosette sur le petit walkie-talkie qu'elle leur a prêté. Elle les invite à la rejoindre au grenier à foin... où une belle surprise les attend!

– On arrive! répondent les deux frères d'une seule voix.

# Une fin de journée gourmande

La gentille lapine est tout heureuse de présenter à ses deux amis l'endroit où ils passeront la nuit. Elle leur a installé un petit lit douillet sur la paille, sans oublier d'y poser ses peluches préférées.

Mais qu'est-ce qui attire l'attention des deux gourmands ? Le super festin qu'elle leur a préparé, peut-être ?

– Voici les œufs de mes poules, dit Rosette avec beaucoup de fierté. Et puis les légumes de mon potager, le lait, le yogourt et le fromage de mes vaches, le jambon de mes cochons...

Biscuit et Cassonade comprennent maintenant que la plupart des aliments que nous mangeons proviennent d'une ferme. Ils sont ravis d'avoir participé à un travail utile à tout le monde, les petits comme les grands !

Les trois amis passent le reste de la soirée à
s'amuser avec les animaux en peluche de Rosette et
à leur faire vivre des aventures fabuleuses.

Aussitôt la tête posée sur l'oreiller, Biscuit et Cassonade ferment les
yeux… mais ils ne s'endormiront pas avant d'avoir poussé quelques
« mmmeuuh! mmmeuuh! » et « rrrhoo! rrrhoo! » bien imités!

## La grande récolte

Dès le petit matin, Biscuit et Cassonade rejoignent Rosette dans les champs pour y récolter les légumes. Ils sont étonnés de découvrir comment pousse chacun d'eux, et surtout d'apprendre que la récolte est un travail très exigeant.

— Bravo, mes amis! applaudit Rosette. Grâce à vous, tous ces délicieux légumes frais vont prendre la route du marché cet après-midi.

Et maintenant, direction le poulailler pour la récolte des œufs.

– Salut, les poulettes! s'exclame joyeusement Cassonade
en voyant les belles poules rousses discuter entre elles.

– Cot! Cot! Coooot! renchérit Biscuit. Parler
le langage des poules, c'est facile!

– Wow ! Tu as vu tous ces œufs ! s'écrie Cassonade, surpris.

Biscuit explique à son jeune frère qu'une
poule peut pondre un œuf par jour.

– Impressionnant, n'est-ce pas ! s'exclame-t-il
en contemplant leur panier bien rempli.

Les deux apprentis fermiers
terminent leur journée
de travail à l'étable pour
la traite des vaches.

– Imagine la délicieuse crème
glacée qu'on pourrait faire
avec tout ce bon lait frais,
rêve tout haut Casso.

– Et pense au super fromage
qu'on pourrait fabriquer ! dit
Biscuit avec un grand sourire.

Le temps a passé bien trop vite à la ferme de Rosette.
Biscuit et Cassonade sont déjà sur le chemin du retour, fatigués
mais heureux de ce séjour inoubliable. Non seulement ils ont
réalisé que la grande majorité des aliments qui se retrouvent sur
nos tables proviennent de la ferme, mais Biscuit a aussi appris
d'où venait l'étrange odeur qu'il avait sentie à son arrivée!

Espérons qu'il saura dorénavant éviter… d'y mettre la patte!

*Fin*